Highlights of

ICELAND

Die Höhepunkte

ISLANDS

© Hugarflug ehf. / Ingi Gunnar Jóhannsson 2005 - Tel. +354 822 6866 - Email: hugarflug@internet.is

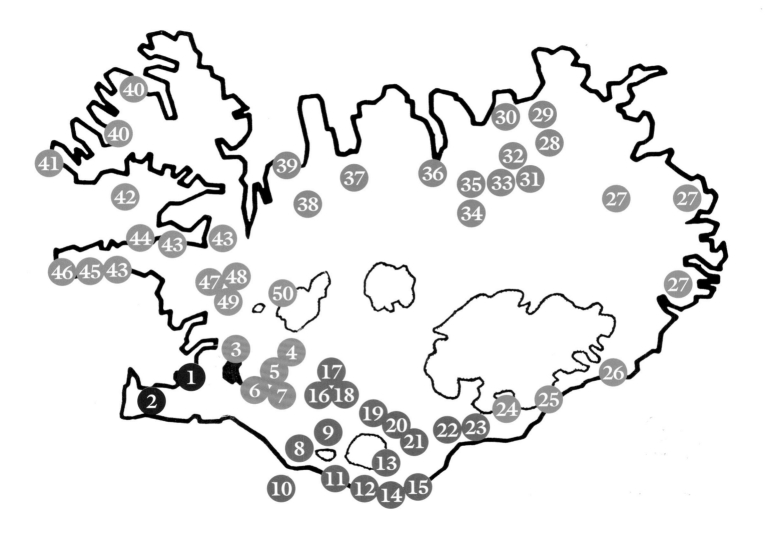

Our destinations around Iceland

Unsere Reiseziele rund um Island

1. Reykjavík
2. Blue Lagoon / Blaue Lagune

The Golden Circle

3. Þingvellir (National Park)
4. Gullfoss
5. Geysir
6. Skálholt / Hveragerði
7. Kerið

The South

8. Seljalandsfoss
9. Þórsmörk
10. Vestmannaeyjar
11. Skógar / Skógafoss
12. Dyrhólaey
13. Mýrdalur / Mýrdalsjökull
14. Reynishverfi
15. Vík
16. Þjórsárdalur

17. Gjáin
18. Hekla
19. Landmannalaugar
20. Fjallabak
21. Eldgjá
22. Kirkjubæjarklaustur
23. Núpsstaður

The East

24. Skaftafell (National Park)
25. Jökulsárlón
26. The South-East / Süd-Ost Island
27. The East / Ost Island

The North

28. Dettifoss
29. Jökulsárgljúfur (National Park)
30. Húsavík
31. Námaskarð
32. Krafla / Leirhnjúkur

33. Mývatn
34. Aldeyjarfoss
35. Goðafoss
36. Akureyri / Eyjafjörður
37. Skagafjörður
38. Kolugljúfur
39. Hvítserkur

The West

40. Western Fjords / Die Westfjorde
41. Látrabjarg
42. Flatey
43. Dalir / Snæfellsnes
44. Snæfellsnes
45. Arnarstapi
46. Snæfellsjökull (National Park)
47. Reykholt / Deildartunguhver
48. Hraunfossar
49. Barnafoss
50. Borgarfjörður / Langjökull

1. Reykjavík

Laugardalur Thermal Pool *Thermalbad Laugardalur*

Hallgrímskirkja Church *Die Hallgrímskirche*

Voyager to the Sun *Das Sonnenschiff*
by Jón Gunnar Árnason *von Jón Gunnar Árnason*

Austurvöllur

The Pearl   *Die Perle*

Höfði House   *Das Höfði-Haus*

Central Reykjavík   *Im Zentrum von Reykjavík*

Midnight sun by the City Pond

Mitternachtssonne am Stadtteich

2. Blue Lagoon / *Blaue Lagune*

3. Þingvellir

Öxarárfoss

In the Almannagjá Rift   *In der Schlucht Almannagjá*

Þingvellir Church and Farm   *Hof und Kirche in Þingvellir*

View of Þingvellir from Hakið

Der Blick über Þingvellir von Hakið

4. Gullfoss

5. Geysir

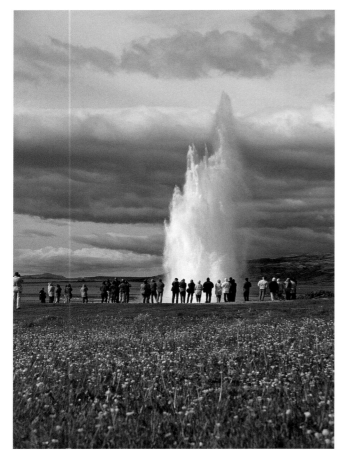

Strokkur

Blesi and Strokkur   *Blesi und Strokkur*

Hotel Geysir

Strokkur

6. Skálholt / Hveragerði

Skálholt Church   *Die Kirche zu Skálholt*

Eden Greenhouse   *„Der Garten Eden"*

Hveragerði

7. Kerið

Kerið Volcanic Crater   *Vulkankrater Kerið*

8. Seljalandsfoss

9. Þórsmörk

Falljökull Glacier — *Gletscher-Zunge Falljökull*

In Stakkholtsgjá Gorge — *In der Schlucht Stakkholtsgjá*

Langidalur Mountain Hut

Die Berghütte in Langidalur

10. Vestmannaeyjar

Heimaey Town, Eldfell and Helgafell Volcanoes in the background

Heimaey und die Vulkane Eldfell und Helgafell im Hintergrund

Golfing

Auf dem Golfplatz

A ruin of a house destroyed by lava flows in the 1973 eruption

Folgen des Vulkanausbruchs von 1973

Ystiklettur, entrance to the harbour of the Westman Islands

Ystiklettur, Hafeneinfahrt von den Westmänner Inseln

11. Skógar / Skógafoss

The Skógafoss Troll *Der Troll am Skógafoss*

Skógar Folk Museum *Das Heimatmuseum in Skógar*

12. Dyrhólaey

Puffins   *Papageitaucher*

Southernmost point of Iceland   *Südlichste Spitze Islands*

Dyrhólaey Lighthouse   *Leuchtturm auf Dyrhólaey*

View from Dyrhólaey: Eyjafjallajökull Glacier and the South Coast

Blick von Dyrhólaey: Eyjafjallajökull Gletscher und die Südküste

13. Mýrdalur / Mýrdalsjökull

On Mýrdalsjökull Glacier   *Auf dem Mýrdalsjökull Gletscher*

Puffin in Dyrhólaey   *Papageitaucher in Dyrhólaey*   View from Dyrhólaey   *Blick von Dyrhólaey*

Mýrdalsjökull seen from Dyrhólaey

Blick von Dyrhólaey zum Mýrdalsjökull

14. Reynishverfi

Dyrhólaey seen from the shore   *Blick zu Dyrhólaey von der Küste*

The Reynisdrangar Rock Stacks   *Die Reynisdrangar Felsen*

Basalt columns   *Basaltsäulen*

15. Vík

Reynisdrangar - a troll family turned to stone

Reynisdrangar – versteinerte Trollfamilie

16. Þjórsárdalur

Hjálparfoss

The reconstructed
Saga Age Farm

Rekonstruktion eines
Hofs aus der Sagazeit

Háifoss (122 m)

Hjálparfoss

17. Gjáin

18. Hekla

Hekla – Iceland's most famous volcano

Hekla – Islands bekanntester Vulkan

19. Landmannalaugar

Brennisteinsalda - "The Sulphur Mountain"

Brennisteinsalda – „Der Schwefelberg"

Hiking in Landmannalaugar   *Wandern in Landmannalaugar*

Cotton grass   *Wollgras*

Rhyolite mountains in the evening sun

Rhyolit-Berg in der Abendsonne

20. Fjallabak

Hnausapollur Crater Lake   *Vulkankrater Hnausapollur*

21. Eldgjá

Ófærufoss

22. Kirkjubæjarklaustur

Dverghamrar, a home to elves

Dverghamrar, Wohnsitz von Elfen

Foss á Síðu

Floor of an elves' church

Boden einer Elfenkirche

Kirkjubæjarklaustur

23. Núpsstaður

24. Skaftafell

Svartifoss

Öræfajökull

Svínafellsjökull

Skaftafell Campsite. Vatnajökull Glacier in the background
with Iceland's highest peak Hvannadalshnjúkur (2119 m)

*Der Campingplatz in Skaftafell. Im Hintergrund Islands
höchster Gipfel Hvannadalshnjúkur (2119 m)*

25. Jökulsárlón

26. The South-East / *Süd-Ost Island*

Öræfajökull Glacier and the town of Höfn seen from Almannaskarð

Blick auf Höfn und Öræfajökull von Almannaskarð

Höfn in Hornafjörður

Djúpivogur

Stokksnes Lighthouse

Leuchtturm von Stokksnes

27. The East / *Ost Island*

Þvottárskriður

Vattarnes Lighthouse   *Leuchtturm von Vattarnes*

Borgarfjörður eystri

Möðrudalur

28. Dettifoss

Jökulsá Canyon   *Canyon der Jökulsá*

View from the eastern side   *Blick von der Ostseite*

View from the western side

Blick von der Westseite

29. Jökulsárgljúfur

Ásbyrgi

Hljóðaklettar

In Hólmatungur

Hólmatungur

30. Húsavík

White-beaked dolphin dives   *Weißschnauzendelphin taucht ab*

Whale Watching   *Walbeobachtung*

Minke whale   *Zwergwal*

Húsavík Harbour

Der Hafen von Húsavík

31. Námaskarð

32. Krafla / Leirhnjúkur

Lava dating from 1984   *Neue Lava aus dem Jahr 1984*

Víti Crater Lake   *Der Krater Víti (Hölle)*

33. Mývatn

The Kálfaströnd Lava Sculptures

Die Lava-Skulpturen von Kálfaströnd

Laxá River   *Der Fluß Laxá*

Skútustaðir Pseudocraters   *Pseudokrater von Skútustaðir*

In Dimmuborgir

34. Aldeyjarfoss

35. Goðafoss

36. Akureyri / Eyjafjörður

Akureyri Church   *Kirche von Akureyri*

Hrísey Island   *Die Insel Hrísey*

Hraun in Öxnadalur

Akureyri seen across Eyjafjörður

Blick auf Akureyri

37. Skagafjörður

Drangey

Víðimýri

„Ríðum, ríðum..."

Glaumbær Folk Museum   *Heimatmuseum Glaumbær*

38. Kolugljúfur

39. Hvítserkur

40. Western Fjords / *Die Westfjorde*

Fjallfoss, Dynjandi

Þingeyri

Ósvör Maritime Museum   *Ósvör Fischereimuseum*

Ósvör in the midnight sun

Ósvör in der Mitternachtssonne

Vigur Island *Die Insel Vigur*

Hrafnseyri

Ísafjörður

Ísafjörður Maritime Museum

Das Seefahrtsmuseum in Ísafjörður

41. Látrabjarg

Puffin   *Papageitaucher*

42. Flatey

The old harbour   *Der alte Hafen*

Flatey Church and Library   *Kirche und Bibliotek in Flatey*

Arctic tern   *Küstenseeschwalbe*

43. Dalir / Snæfellsnes

Leifur Eiríksson

Helgafell

Eiríksstaðir

Búðir

44. Snæfellsnes

Stykkishólmur

Stykkishólmur

Hellnar Church   *Die Kirche von Hellnar*

Hellnar Harbour

Der Hafen von Hellnar

45. Arnarstapi

Kittiwakes   *Dreizehenmöwen*

Arnarstapi

46. At the foot of the Glacier / *Zu Füßen des Gletschers*

Snæfellsjökull

Djúpalónssandur

Testing one's strength
in Djúpalónssandur

*Kraftprobe
in Djúpalónssandur*

Lóndrangar and Þúfubjarg Bird Cliff

Lóndrangar und der Vogelfelsen Þúfubjarg

47. Reykholt

Snorri Sturluson (1179-1241)

New and old church
at Reykholt

*Neue und alte Kirche
in Reykholt*

Snorri's Thermal Pool

Das Thermalbad von Snorri

Deildartunguhver - The most powerful hot spring in Europe (180 l/s)

Deildartunguhver - Europas wasserreichste heiße Quelle (180 l/s)

48. Hraunfossar

49. Barnafoss

50. Borgarfjörður / Langjökull

Eiríksjökull

Kaldidalur Highland Track   *Kaldidalur Hochlandpiste*

Langjökull

On Langjökull Glacier. Eiríksjökull in the background

Auf dem Langjökull. Eiríksjökull im Hintergrund

All photos / *Alle Fotos:* © Ingi Gunnar Jóhannsson
Picture of Ingi Gunnar / *Foto von Ingi Gunnar:* Willi Woodtli – Swiss Birdwatchers
Scanning and colour corrections / *Scanning und Farbkorrektur:* Pixel ehf. – Halldór Ólafsson
Translation assistance / *Übersetzungshilfe:* Gerður Harpa Kjartansdóttir (E) & Coletta Bürling (D)
Layout & design: Gutenberg ehf. – Kristján Gíslason
Front cover design / *Umschlagdesign:* Hlynur Helgason
Map of Iceland / *Islandkarte:* Haukur Björnsson
Printing / *Druck:* Oddi hf.

Publisher / Herausgeber: HUGARFLUG ehf. – Maríubaug 5 – 113 Reykjavík – Iceland
Tel. +354 822 6866 – Email: hugarflug@internet.is

ISBN: 9979-784-99-7